WOK

© 1998 Rebo International b.v.
internet: www.rebo-publishers.com - email: info@rebo-publishers.com

© 1998 uitgegeven door Rebo Productions b.v., Lisse
3e druk 1999

oorspronkelijke titel: Wok
lay-out: Consortium, Engeland
redactie en productie: TextCase, Groningen
omslag ontwerp: Minkowsky, buro voor grafische vormgeving, Enkhuizen
zetwerk: Hof&Land Typografie, Maarssen
vertaling: Lia Pot
redactie: Eveline Deul

orginele recepten op bladzijde 8-9, 12-13, 22-23, 28-29, 44-45, 46-47, 48-49,
50-51, 52-53, 56-57, 58-59, 68-69, 70-71, 72-73, 86-87 © Ceres Verlag,
Rudolf-August Oetker KG, Bielefeld, Duitsland.
Alle andere recepten en fotomateriaal © Quadrillion Publishing Ltd.,
Godalming.

J0238NL

ISBN 90 366 1289 6

3 4 5 6 7 99 00

WOK

KLEURRIJKE, PITTIGE EN SNELLE
ROERBAK-, FRITUUR- EN SMOORGERECHTEN

REBO
PRODUCTIONS

Inhoud

Inleiding

Het koken met een wok kan een hele omwenteling in uw kookstijl teweegbrengen en uw houding ten opzichte van het voedsel dat u koopt geheel veranderen. De eenvoudige en goedkope wok biedt u allerlei mogelijkheden voor eenpansgerechten. Ofschoon de wok oorspronkelijk voor roerbakken werd gebruikt, kunnen er ook groenten in gefrituurd, gestoomd en gesmoord worden. Koken met de wok bespaart niet alleen energie en tijd, het scheelt ook in de afwas!

In de wok kunt u kleine porties, in een mum van tijd, op een zeer hoog vuur in weinig olie roerbakken. Daardoor zijn roergebakken gerechten gezond en niet zo vet, en door het dichtschroeien blijven de sappen en smaak en de voedingsstoffen van de ingrediënten behouden. De kleur en structuur van verse groenten blijven ook behouden.

Traditionele woks worden van koolstofstaal gemaakt, waardoor ze de warmte uitstekend geleiden. Deze woks moeten echter met vet ingesmeerd worden, anders gaan ze roesten. Volg daarom goed de gebruiksaanwijzing. Woks van roestvrijstaal of aluminium hoeven niet op dezelfde manier behandeld te worden, maar worden niet zo gelijkmatig warm als de wok van koolstofstaal.

Hier volgen een paar tips voor het gebruik van uw wok. Bij het roerbakken moet de wok eerst verhit worden voordat u de olie toevoegt. Zorg ervoor dat u vóór het bakken alle ingrediënten hebt klaarstaan, want u moet snel werken! Snijd de ingrediënten in dunne, even grote reepjes of stukjes, zodat ze gelijkmatig gaar worden. Vries vlees en gevogelte even in om het snijden te vereenvoudigen en snijd altijd tegen de draad in, anders wordt het vlees tijdens de bereiding taai. Doe kleine beetjes tegelijk in de wok en bak het gerecht eventueel in porties. Verhit bij het frituren de olie zonder deksel. Zorg er altijd voor dat een met hete olie gevulde wok stevig staat. Ofschoon de wok hoofdzakelijk voor oosterse gerechten wordt gebruikt, is hij ook geschikt voor de bereiding van andere gerechten. In dit boek bieden wij u een selectie opwindende gerechten van gewone, door-de-weekse maaltijden en recepten voor speciale gelegenheden – sommige komen uit de Thaise en Chinese keuken, andere zijn van Indische oorsprong en weer andere zijn typisch Westers. Wat voor gerecht u ook kiest, u zult zeer tevreden zijn over het resultaat!

Tahoe-lasagne

Een aparte maar overheerlijke manier om tahoe (tofoe) te serveren.

Voorbereidingstijd: 20 min. + 15 min. marineren • Bereidingstijd: 6-8 min. • Voor 4 personen

Ingrediënten

50 g waterkastanjes uit blik, uitgelekt	1 tl zout
100 g garnalen of gamba's	1 el aardappelmeel + wat extra
100 g varkensgehakt	1 tl gemberwortel, fijngehakt
2 el lente-uitjes, fijngehakt	500 g tahoe (tofoe)
2 tl sesamolie	1 ei
2 el rijstwijn	125 g tarwebloem
1 tl suiker	1 l plantaardige olie

Bereidingswijze

1
Snijd de waterkastanjes in dunne schijfjes en pureer ze samen met de garnalen, het varkensvlees
en de lente-uitjes in een keukenmachine. Zet de puree apart.

2
Meng voor de marinade de sesamolie, rijstwijn, suiker, ½ tl zout, aardappelmeel en gember in een schaal.
Voeg de puree toe, meng alles goed en laat het geheel 15 min. rusten.

3
Spoel de tahoe af en dep hem droog met keukenpapier. Snijd hem overdwars in 4 stukken en bedek ze met de puree.
Strooi het extra aardappelmeel erover, leg de stukken op elkaar en druk ze stevig aan.

4
Meng in een schaal ei, bloem en 4 el water en voeg een ½ tl zout toe. Verhit de olie in een wok. Wentel de tahoe door
het bloemmengsel en laat hem voorzichtig met een frituurmandje of schuimspaan in de hete olie zakken; bak
hem 6-8 min. Laat de tahoe goed uitlekken, snijd hem in 4 porties en dien die warm op.

Serveersuggestie
Serveer er een salade van gemengde bladgroenten bij.

Variatie
Gebruik kippen- of rundergehakt in plaats van varkensvlees. Vervang verse gember door knoflook en rijstwijn door sherry.

Aardappelpakora's

Deze pittige en knapperige aardappelschijfjes zijn eenvoudig te bereiden en kunnen als voorgerecht of als klein hapje dienen.

Voorbereidingstijd: 15 min. • Bereidingstijd: 20 min. • Voor 4-6 personen

Ingrediënten

55 g besan (kikkererwtenbloem)	1/2 tl chilipoeder
1 el rijstebloem	50 ml water
½ tl zout, naar smaak	450 g middelgrote aardappelen, geschild en in schijfjes van 5 mm
1½ tl korianderpoeder	plantaardige olie om te frituren
1 tl komijnpoeder	

Bereidingswijze

1
Meng alle droge ingrediënten in een grote schaal.

2
Voeg het water toe en meng het tot een dikke puree.

3
Voeg de aardappelen toe en haal ze door de puree tot ze helemaal bedekt zijn.

4
Verhit de olie in een wok en voeg net zo veel aardappelschijfje toe als er in de wok passen.

5
Bak de pakora's in 6-8 min. goudbruin.

6
Laat ze op keukenpapier uitlekken en houd ze warm tot de rest gebakken is. Dien ze direct op.

Serveersuggestie
Serveer ze met partjes verse, rijpe tomaat en schijfjes komkommer.

Variatie
Gebruik bataat (zoete aardappel) in plaats van gewone aardappelen en griesmeel in plaats van rijstebloem.

Tip van de kok
Doe niet te veel pakora's tegelijk in de wok, anders plakken ze aan elkaar.

Bouillon met varkensvlees en zeewier

Een smakelijke combinatie van mals varkensvlees en zeewier, geserveerd in een aromatische bouillon.

Voorbereidingstijd: 15 min. • Bereidingstijd: 1 uur en 5 min. • Voor 4 personen

Ingrediënten

2 blaadjes gedroogde zeewier

600 g varkensvlees

2 l vleesbouillon

10 g gemberwortel, geschild en in plakjes

125 ml rijstwijn

125 ml kokosmelk

2 tl zout

Bereidingswijze

1

Week de zeewier 10-20 min. in circa 1 liter water. Giet het zeewier af en hak of scheur het in repen. Zet het apart.

2

Spoel het varkensvlees onder de koude kraan en snijd het in blokjes.

3

Breng de bouillon in de wok aan de kook. Voeg de gember en het vlees toe. Dek alles af en laat het circa 1 uur sudderen tot het gaar is; roer een paar keer.

4

Voeg het zeewier, rijstwijn, kokosmelk en zout toe. Roer af en toe en laat het geheel nog 5 min. doorkoken. Schep de soep in kommen en dien hem warm op.

Serveersuggestie

Serveer er crackers of vers brood bij.

Variatie

Vervang eventueel het varkensvlees door rundvlees of kip.

Nargisi-kebabs

Deze pittige met ei gevulde kebabs zijn snel en gemakkelijk in de wok te bereiden.

Voorbereidingstijd: 40 min. • Bereidingstijd: 10-15 min. • Voor 14 stuks

Ingrediënten

Voor de vulling:

2 hardgekookte eieren, gepeld en grof gehakt

1 verse groene chilipeper, zonder zaad, fijngehakt

2 el ui, fijngehakt

1 el verse koriander, fijngehakt

¼ tl zout

1 el yoghurt

25 g ghee of ongezouten boter

1 grote ui, fijngehakt

3-4 teentjes knoflook, gepeld en fijngehakt

2,5 cm gemberwortel, geschild en fijngehakt

1 tl komijnpoeder

1½ tl korianderpoeder

1 tl garam masala

½ tl chilipoeder

½ tl versgemalen zwarte peper

50 g yoghurt

1 el verse munt, fijngehakt, of
1 tl droge munt

2 el verse koriander, fijngehakt

1 tl zout, naar smaak

550 g lams- of rundergehakt

1 ei

2 el besam (kikkererwtenbloem), gezeefd

1 l plantaardige olie

Bereidingswijze

1
Meng alle ingrediënten voor de vulling in een schaal door elkaar. Zet de schaal apart.

2
Smelt voor de kebabs de ghee of boter in een koekenpan op matig vuur en bak ui, knoflook en gember 3-4 min. Temper het vuur, voeg komijn, koriander- en chilipoeder, garam masala en zwarte peper toe en meng goed door elkaar. Bak dit al roerende 1-2 min. Neem de pan van het vuur en laat het geheel afkoelen.

3
Pureer de gebakken ingrediënten met de yoghurt, munt, koriander, zout en het gehakt in een keukenmachine. Schep het in een schaal.

4
Verdeel het mengsel in 14 porties ter grootte van een ei. Druk in ieder balletje een holte. Vul iedere holte met 1 volle theelepel eimengsel en bedek de vulling door de randen naar elkaar toe te drukken. Rol de bal voorzichtig in uw handpalmen tot hij mooi rond is. Druk de bal voorzichtig plat tot 6 cm dikte. Doe hetzelfde met de andere porties.

5
Kluts het ei voor het beslag en voeg geleidelijk de besan toe. Voeg al kloppend 1 el water toe.

6
Verhit de olie in een wok op matig vuur. Dompel iedere kebab in het beslag en bak ze in de wok naast elkaar 3-4 min. aan beide kanten bruin. Laat ze op keukenpapier uitlekken en houd ze warm tot de rest gebakken is. Dien ze direct op.

Serveersuggestie
Serveer de kebabs op een bedje van sla met verse tomaat en schijfjes komkommer.

Variatie
Gebruik kippen- of kalkoengehakt in plaats van lams- of rundergehakt.

Vleessamosa's

Serveer bij deze pittige vleespakketjes een gemengde salade.

Voorbereidingstijd: 50 min. + koelen • Bereidingstijd: 15 min. • Voor 18 stuks

Ingrediënten

Voor de vulling:

2 el olijfolie

2 middelgrote uien, fijngehakt

225 g mager lams- of rundergehakt

3-4 teentjes knoflook, geperst

1 cm gemberwortel, geraspt

½ tl kurkumapoeder

2 tl korianderpoeder

1½ tl komijnpoeder

½-1 tl chilipoeder

½ tl zout, naar smaak

175 g diepvriesdoperwten

2 el kokos, geraspt

1 tl garam masala

1-2 groene chilipepers, fijngehakt

2 el verse koriander, fijngehakt

1 el citroensap

Voor het deeg:

225 g tarwebloem

55 g ghee of boter

½ tl zout

75 ml warm water

plantaardige olie om te frituren

Bereidingswijze

1
Verhit voor de vulling de olie in een koekenpan en bak de uien lichtbruin op matig vuur.

2
Voeg gehakt, knoflook en gember toe. Meng en bak het geheel al roerende tot al het vocht verdampt is. Draai het vuur laag.

3
Voeg chili-, kurkuma- en korianderpoeder, komijn, en zout toe. Roerbak het gehakt lichtbruin.

4
Voeg 125 ml water en de doperwten toe. Breng alles aan de kook en laat het afgedekt 25-30 min. sudderen; roer af en toe. Verwijder het deksel als er nog vocht over is en laat het gehakt op matig vuur al roerende helemaal droog koken.

5
Roer de kokos, garam masala, groene chilipepers en verse koriander erdoor. Haal de pan van het vuur en roer citroensap erdoor. Zet alles apart om af te koelen.

6
Doe voor het deeg de bloem in een schaal, voeg ghee of boter en zout toe en kneed tot het mengsel op broodkruimels lijkt. Meng het water erdoor en kneed het tot een glad deeg.

7
Verdeel het deeg in 9 stukken. Rol de stukken met draaiende bewegingen in uw handpalmen tot balletjes en druk ze vervolgens plat. Rol ze uit tot rondjes van 10 cm en snijd ze in twee stukken. Gebruik iedere halve cirkel deeg als 1 deegzakje.

8
Bevochtig de rechte kant met een beetje warm water. Vouw iedere halve cirkel doormidden om een driehoekig hoorntje te vormen. Druk de rechte kanten stevig op elkaar.

9
Schep tot 5 mm vanaf de bovenrand de vulling in de hoorntjes. Bevochtig deze randen en druk ze stevig op elkaar.

10
Verhit de olie in een wok. Frituur de samosa's op een niet te hoog vuur goudbruin, laat ze op keukenpapier uitlekken. Houd ze warm tot de rest gebakken is. Serveer ze warm, gegarneerd met takjes peterselie.

Vis tempura

Deze traditionele Japanse schotel kan ook als een apart voorgerecht worden geserveerd.

Voorbereidingstijd: 30 min. • Bereidingstijd: 15 min. • Voor 4 personen

Ingrediënten

12 rauwe reuzengarnalen	*1 eierdooier*
2 stukken witte visfilet, geschubd, in reepjes van 5 x 2 cm	*240 ml ijswater*
	plantaardige olie om te bakken
1 kleine hele vis, bijv. spiering of sprotjes	*90 ml sojasaus*
2 pijlinktvissen, schoongemaakt en in reepjes van 2,5 x 7,5 cm	*rasp van schil en sap van 2 limoenen*
	50 ml droge sherry
115 g tarwebloem + 2 el extra	

Bereidingswijze

1

Pel de garnalen, maar laat de staarten zitten. Was de vis en inktvis en dep ze droog met keukenpapier. Bestrooi de garnalen, vis en inktvis met 2 el bloem.

2

Klop een beslag van de eierdooier, het water en de resterende, gezeefde bloem.

3

Dompel de stukjes vis in het beslag en schud het overtollige beslag eraf.

4

Verhit de olie in een wok tot 180°C. Leg een paar stukjes vis tegelijk in het vet en bak ze 2-3 min. Verwijder ze voorzichtig met een schuimspaan en laat ze op keukenpapier uitlekken. Houd ze warm terwijl u de rest bakt.

5

Meng in een schaaltje de sojasaus, rasp van de limoenschil en -sap en sherry, en serveer dit als een dipsaus bij de gebakken vis.

Serveersuggestie

Serveer de sojadipsaus apart bij de tempura.

Variatie

Gebruik eventueel groenten zoals champignons, courgettes en paprika in plaats van vis.

Tip van de kok

Als het beslag te snel wegloopt, laat de porties vis dan in het beslag liggen totdat u ze in de olie legt.

Gestoomde visrolletjes

Deze visrolletjes vormen een lichte, sierlijke schotel – ideaal voor een speciale gelegenheid.

Voorbereidingstijd: 25 min. • Bereidingstijd: 10-15 min. • Voor 4 personen

Ingrediënten

2 grote tongen of schollen, in 4 filets	*1 tl droge sherry*
175 g gepelde garnalen, fijngehakt	*4 lente-uitjes, alleen het groene deel, fijngesneden*
2 tl maïzena	*2 eieren, geklopt met een snufje zout*

Bereidingswijze

1
Ontvel de visfilets voorzichtig en leg ze met het 'vel' naar boven op een plat werkvlak.

2
Meng in een schaal de garnalen met de maïzena, sherry en lente-uitjes.
Verdeel dit mengsel over de visfilets en zet ze apart.

3
Kook de eieren in een wok totdat ze net stollen. Verdeel het eimengsel over het garnalenmengsel.

4
Rol de visfilets net als een opgerolde cake op, beginnend bij het dikke gedeelte. Zet ze met een houten prikkertje vast.

5
Leg een schone theedoek op de bodem van een bamboe stoommandje en leg de visrolletjes erop. Dek ze af en zet het mandje in een wok met kokend water. Stoom het geheel 10-15 min., tot de vis gaar is. Verwijder de prikkertjes en dien ze direct op.

Serveersuggestie
Serveer er nieuwe aardappelen en een verse gemengde salade bij.

Variatie
Vervang de garnalen door gamba's of mosselen. Gebruik rijstwijn in plaats van sherry.

Tip van de kok
Smeer meer vulling op het dikste gedeelte, zodat de vulling er bij het oprollen niet uit valt.

Gevulde zeewierrolletjes

Een snelle en smakelijke manier om zeebanket te serveren, verpakt in zeewier en in de wok gebakken.

Voorbereidingstijd: 20 min. + 15 min. marineren • Bereidingstijd: 15-20 min. • Voor 4 personen

Ingrediënten

300 g gepelde reuzengarnalen	witte peper
200 g zalmfilet	1 tl bakpoeder
100 g waterkastanjes uit blik, uitgelekt	4 blaadjes gedroogde zeewier
50 g lente-uitjes, fijngehakt	1 l plantaardige olie
2 tl rijstwijn	½ tl peper
1½ tl zout	½ tl suiker
2 tl aardappelmeel	½ tl geperste knoflook
2 tl sesamolie	½ tl gemberpoeder

Bereidingswijze

1
Maak de garnalen schoon en verwijder de darmen. Was de garnalen onder de koude kraan, dep ze droog met keukenpapier en pureer ze in een keukenmachine. Was de zalm onder de koude kraan en dep hem droog met keukenpapier. Snijd hem in reepjes.

2
Snijd de waterkastanjes in dunne schijfjes. Pureer de zalm, waterkastanjes en lente-uitjes in de keukenmachine. Doe het mengsel in een schaal.

3
Meng in een andere schaal de rijstwijn, 1 tl zout, aardappelmeel, sesamolie, een snufje witte peper en bakpoeder. Roer het door de gepureerde ingrediënten. Laat het geheel 15 min. op een koele plaats rusten.

4
Schep circa 4 eetlepels van het mengsel op elk blad zeewier. Rol het in de lengte op en druk de randen aan, zodat de vulling er niet uit kan. Zet de rolletjes eventueel met prikkers vast.

5
Verhit de olie in een wok en bak ieder rolletje 3-4 min. Haal ze eruit en laat ze wat afkoelen. Doe alle rolletjes weer in de wok en bak ze nog 1 min. Laat ze uitlekken, verwijder de prikkertjes en snijd de rolletjes in ringen van 2 cm.

6
Bestrooi de ringen met peper, overgebleven zout, suiker, knoflook en gemberpoeder en ½ tl witte peper. Serveer ze met een beetje overgebleven vulling als dipsaus.

Serveersuggestie
Serveer er gekookte verse groenten en gekookte rijst bij.

Variatie
Gebruik voor de verandering verse tonijn in plaats van zalm of sjalotjes in plaats van lente-uitjes.

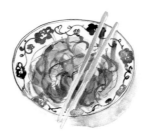

Garnalen met gember

Een gezonde en eenvoudig te bereiden garnalenschotel met een zoet-zure smaak.

Voorbereidingstijd: 10 min. • Bereidingstijd: 8-10 min. • Voor 6 personen

Ingrediënten

2 el plantaardige olie	1 prei, alleen het witte deel in zeer dunne reepjes
675 g gepelde gamba's	115 g vers gedopte doperwten
2,5 cm gemberwortel, geschild en fijngehakt	175 g taugé
	2 el donkere sojasaus
2 teentjes knoflook, fijngehakt	1 tl suiker
2-3 lente-uitjes, fijngehakt	snufje zout

Bereidingswijze

1
Verhit de olie in een wok en roerbak de garnalen 2-3 min. Haal ze uit de wok en zet ze apart.

2
Verhit de olie opnieuw en voeg de gember en knoflook toe. Roer snel en voeg de lente-uitjes, prei en doperwten toe. Roerbak het geheel 2-3 min.

3
Voeg de taugé en garnalen toe. Roer de sojasaus, suiker en zout erdoor en roerbak alles 2 min. Dien het gerecht direct op.

Serveersuggestie
Serveer de garnalen apart of met gekookte rijst of eiermie.

Variatie
Gebruik schoongemaakte garnalen, mosselen of pijlinktvis in plaats van gamba's. Gebruik 1-2 fijngehakte stengels selderij in plaats van lente-uitjes.

Tip van de kok
De groenten kunnen van tevoren bereid worden en in een luchtdichte verpakking tot 6 uur voor gebruik in de koelkast worden bewaard.

Garnalen met groene kerriepuree

Dit is de heetste Thaise curry die er bestaat door de groene serranopepers, die oorspronkelijk voor groene kerriepuree gebruikt worden.

Voorbereidingstijd: 5 min. • Bereidingstijd: 10 min. • Voor 2 personen

Ingrediënten

Voor de groene kerriepuree (3-4 el)

16 groene serranochilipepers of andere kleine chilipepers, fijngehakt

3 teentjes knoflook, geperst

2 stengels citroengras, grof gesneden

3 lente-uitjes, fijngehakt

1 tl gemberwortel, geraspt

1 tl korianderzaadjes

1 tl karwijzaad

4 hele kruidnagels

1 tl nootmuskaatpoeder

1 tl garnalenpuree (trassi)

3 el plantaardige olie

2 dl dikke kokosmelk

2 el groene kerriepuree

350 g rauwe, gepelde garnalen

1 el vissaus

citroenschil, geraspt of in reepjes ter garnering

Bereidingswijze

1

Doe voor de groene kerriepuree de pepertjes, knoflook, citroengras en lente-uitjes in een vijzel en pureer alles met de stamper totdat de sappen zich vermengen.

2

Voeg alle andere ingrediënten behalve de olie toe en blijf pureren. Roer vervolgens de olie erdoor.

3

Verhit een beetje kokosmelk in een wok en voeg de groene kerriepuree toe. Breng het al roerende in 5 min. aan de kook, temper dan het vuur.

4

Voeg geleidelijk de resterende kokosmelk toe. voeg de garnalen en de vissaus toe. Laat alles 5 min. sudderen totdat de garnalen gaar zijn. Garneer ze met citroenrasp en dien ze direct op.

Serveersuggestie

Serveer er gekookte rijst of eiermie bij.

Variatie

Gebruik kant-en-klare, schoongemaakte pijlinktvis of mosselen in plaats van garnalen.

Tip van de kok

De groene kerriepuree blijft in de koelkast 1 maand goed. Bewaar hem in een afgesloten pot.

Inktvis met lente-uitjes

Malse inktvisringen geserveerd in een saus van witte rijstazijn en soja.

Voorbereidingstijd: 15 min. + 20 min. marineren • Bereidingstijd: 5-7 min. • Voor 4 personen

Ingrediënten

350 g pijlinktvis, alleen het staartstuk, schoongemaakt	**Voor de saus:**
2 el aardappelmeel	*2 tl suiker*
2 el sojasaus	*½ tl witte peper*
2 el sesamolie	*1 tl zout*
250 g lente-uitjes	*5 el groentebouillon*
5 dl plantaardige olie	*5 el rijstwijn*
5 el sojaolie	*1 tl aardappelmeel*
1 el gemberwortel, geraspt	*2 el zonnebloemolie*
	1 tl sojasaus

Bereidingswijze

1
Spoel de inktvis onder de koude kraan af, verwijder het buitenste vel en snijd het staartstuk in ringen van 5 mm. Zet ze apart.

2
Meng de aardappelmeel, sojasaus en sesamolie in een schaal goed door elkaar. Meng de inktvis erdoor en laat het geheel 20 min. marineren. Snijd de lente-uitjes in stukjes van 4 cm.

3
Verhit de plantaardige olie in een wok en bak de inktvis 1 min. Haal ze uit de wok en laat ze op keukenpapier uitlekken. Zet ze apart en houd ze warm. Giet de hete olie af. Verhit de soja in de wok, voeg de gember en lente-uitjes toe en roerbak alles 2-3 min.

4
Meng voor de saus de suiker, witte peper, zout, bouillon, rijstwijn, aardappelmeel, zonnebloemolie en sojasaus in een schaal. Giet dit over de gember en lente-uitjes in de wok. Doe de inktvis terug in de wok en roerbak alles tot het gaar en kokend heet is. Dien het gerecht direct op.

Serveersuggestie
Serveer er gekookte rijst of nasi met ei bij.

Variatie
Gebruik rauwe grote of kleine garnalen in plaats van inktvis. Vervang de lente-uitjes door dun gesneden prei.

Kipcurry met pinda's

Deze Thaise schotel wordt om z'n dikke saus ook wel droge kipcurry genoemd.

Voorbereidingstijd: 10 min. + 1 uur marineren • Bereidingstijd: 15 min. • Voor 4 personen

Ingrediënten

450 g kipfilet	¼ tl korianderpoeder
sap van 1 citroen	115 g geroosterde pinda's, gemalen
sap van 1 limoen	1,5 dl kippenbouillon
3 groene chilipepers, zonder zaadjes, fijngehakt	1,5 dl dikke kokosmelk
4 el zonnebloem- of arachideolie	85 g verse kokos, geraspt
1 ui, fijngehakt	1 el suiker
¼ tl komijnpoeder	1 el vissaus

Bereidingswijze

1

Snijd de kip in blokjes en leg deze in een lage schaal. Meng de citroen- en limoensap met de fijngehakte chilipepers in een schaal en giet dit over de kip. Meng alles door elkaar totdat de kip geheel bedekt is. Dek het af en laat de kip 1 uur marineren.

2

Verhit de olie in een wok en roerbak de ui glazig en lichtbruin. Roer de komijn en koriander erdoor.
Schep de kip met een schuimspaan uit de marinade en roerbak het vlees om en om in de wok.

3

Voeg de marinade toe en roerbak de kip nog 2-3 min. op hoog vuur.

4

Voeg de gemalen pinda's toe en schenk geleidelijk de bouillon en kokosmelk erbij. Voeg de kokos, suiker en vissaus toe. Temper het vuur en laat alles zachtjes 5 min. sudderen, totdat de kip gaar is. Roer af en toe. Dien direct op.

Serveersuggestie

Serveer er gekookte pandanrijst bij.

Variatie

Gebruik pindakaas met stukjes pinda in plaats van gemalen, geroosterde pinda's. Vervang kip door kalkoen of varkensvlees.

Kipkluifjes met sesamzaad

Dit is een goedkope schotel. Geserveerd met roergebakken groenten is dit een voedzame en toch lichte maaltijd.

Voorbereidingstijd: 20 min. • Bereidingstijd: 15 min. • Voor 6-8 personen

Ingrediënten

12 kipkluifjes	3 el sojasaus
1 el gezouten zwarte bonen	1½ el rijstwijn of droge sherry
1 el arachideolie	¼ tl peper
2 teentjes knoflook, geperst	1 el sesamzaad
2 schijfjes gemberwortel, geschild en in zeer dunne reepjes	

Bereidingswijze

1
Verwijder de puntjes van de kipkluifjes. Snijd het gewricht door om de twee delen te scheiden.

2
Pureer de bonen en voeg 1 el kokend water toe. Laat ze een paar min. rusten.

3
Verhit de olie in een wok en voeg knoflook en gember toe. Roer even, voeg de kip toe en roerbak die in circa 3 min. lichtbruin. Voeg de sojasaus en wijn of sherry toe en laat het geheel al roerende nog 30 sec. doorkoken. Voeg de geweekte bonen en peper toe.

4
Dek de wok af, temper het vuur en laat het geheel 8-10 min. sudderen. Verwijder het deksel en draai het vuur hoger. Laat alles al roerende doorkoken totdat het vocht bijna verdampt is en de kluifjes met saus bedekt zijn. Haal ze van het vuur en bestrooi ze met sesamzaad. Dien ze op en serveer er eventueel lente-uitjes of koriander bij.

Serveersuggestie

Van lente-uitjes maakt u als volgt kwastjes: verwijder de wortels en groene toppen en snijd de stengel in dunne reepjes. Leg ze een paar uur in ijswater, zodat de uiteinden omkrullen. Laat ze uitlekken en gebruik ze als garnering.

Variatie

Gebruik maanzaad in plaats van sesamzaad en appelsap in plaats van rijstwijn of sherry.

Tip van de kok

U kunt kipkluifjes van tevoren bereiden en opnieuw opwarmen. Verwarm ze 10-15 min. in een oven van 180°C. Zorg ervoor dat ze bij het opdienen heet zijn.

Kip met cashewnoten

Dit klassieke, oosterse roerbakgerecht bestaat uit een mengeling van interessante smaken en structuren.

Voorbereidingstijd: 15 min. • Bereidingstijd: 15 min. • Voor 4 personen

Ingrediënten

350 g kipfilet, in blokjes	1 kleine ui, fijngehakt
1 el maïzena + 2 tl extra	2,5 gemberwortel, geschild en in dunne schijfjes
1 tl zout	2 teentjes knoflook, in dunne schijfjes
1 tl sesamolie	85 g peultjes
1 el lichte sojasaus	55 g bamboescheuten, in dunne schijfjes
½ tl suiker	115 g cashewnoten
5 el plantaardige olie	1 el hoisin- of barbecuesaus
2 lente-uitjes, fijngehakt	2,5 dl kippenbouillon

Bereidingswijze

1
Rol de stukjes kip door 1 el maïzena. Bewaar de overtollige maïzena.

2
Meng in een grote schaal zout, sesamolie, sojasaus en suiker. Roer de kip door de marinade.
Dek het geheel af en laat het 10 min. in de koelkast rusten.

3
Verhit 2 el olie in een wok en roerbak het lente-uitje, de gember en het knoflook 2-3 min.

4
Voeg de peultjes en bamboescheuten toe en roerbak het nog eens 3 min.

5
Verwijder de gebakken groenten en zet ze apart. Verwarm nog eens 1 el olie in de wok.

6
Haal de stukjes kip uit de marinade en roerbak ze in 3-4 min. gaar in de wok.

7
Haal de kipstukjes eruit en houd ze warm. Maak de wok schoon.

8
Giet de resterende olie in de wok. Doe de kip en gebakken groenten erbij en roer de cashewnoten erdoor.

9
Meng de resterende maïzena met de hoisin- of barbecuesaus en de kippenbouillon. Giet dit over de kip
en groenten in de wok en roerbak alles op een niet te hoog vuur totdat de ingrediënten warm zijn
en de saus is ingedikt. Serveer het gerecht direct.

Serveersuggestie

Serveer dit roerbakgerecht met eiermie.

Variatie

Roer op het laatste moment 85 g ananaspartjes door het gerecht. Gebruik kalkoen of varkensvlees
in plaats van kip. Gebruik sugar snaps of schijfjes champignon in plaats van peultjes.

Kip met wolkenoren

De Chinese zwarte boompaddestoel heeft ook de prachtige naam 'wolkenoor'.
Qua smaak en structuur lijkt hij op de champignon.

Voorbereidingstijd: 20 min. • Bereidingstijd: 10 min. • Voor 6 personen

Ingrediënten

12 wolkenoren, of andere gedroogde Chinese paddestoelen	*2,5 cm gemberwortel, heel*
450 g kipfilet, in dunne reepjes	*1 teentje knoflook, heel*
1 eiwit, geklopt	*3 dl kippenbouillon*
2 tl maïzena	*1 el maïzena*
2 tl witte wijn	*3 el lichte sojasaus*
2 tl sesamolie	*snufje zout en versgemalen zwarte peper*
3 dl plantaardige olie, om te frituren	*kwastjes van lente-uitjes (zie 'Serveersuggestie', blz 32), ter garnering*

Bereidingswijze

1
Week de paddestoelen circa 10 min. in kokend water tot ze zacht en uitgezet zijn. Meng in een schaal
de kip met het eiwit, de maïzena, wijn en sesamolie.

2
Verhit de wok een paar min. en giet de frituurolie erin. Bak de gember en knoflook 1 min.
Schep het er weer uit, gooi de olie weg en temper het vuur.

3
Bak een kwart van de kip 1 min. Schep het eruit en leg het op een schaal, bak de rest van de kip.
Verwijder 2 el olie uit de wok.

4
Giet de paddestoelen af en knijp het vocht eruit. Gooi het vocht weg. Haal de steeltjes van de hoed en snijd
ze in dunne reepjes. Snijd de wolkenoren klein. Bak ze 1 min. in de wok.

5
Voeg de bouillon toe en breng hem bijna aan de kook. Meng in een schaal de maïzena en sojasaus en voeg een eetlepel
warme bouillon toe. Breng dit mengsel al roerende in de wok aan de kook. Laat de saus 1-2 min. doorkoken tot hij
ingedikt is. De saus is helder als de maïzena goed is doorgekookt.

6
Doe de kip weer in de wok en voeg zout en peper naar smaak toe. Roer alles circa 1 min. goed door
en dien de kip direct op, gegarneerd met lente-uikwastjes.

Serveersuggestie
Serveer er gekookte rijst, pasta of eiermie bij.

Variatie
Gebruik varkensvlees of kalkoen in plaats van kip. Gebruik rode wijn in plaats van witte.

Tip van de kok
Gedroogde wolken- of boomoren zijn in de toko en de delicatessewinkel verkrijgbaar.
Shii-take is gemakkelijker verkrijgbaar. De gedroogde soort is lang houdbaar.

Chilischotel met aubergine en kip

Een verrassende doch eenvoudige manier om kip te serveren, voor een goed vullende gezinsmaaltijd.

Voorbereidingstijd: 15 min. + 30 min. rusten • Bereidingstijd: 15 min. • Voor 4 personen

Ingrediënten

2 middelgrote aubergines	350 g kipfilet, in dunne reepjes
zout	2 el kippen- of groentebouillon
4 el sesamolie	1 el tomatenpuree
2 teentjes knoflook, uitgeperst	1 tl maïzena
4 lente-uitjes, in diagonale repen	suiker naar smaak
1 groene chilipeper, fijngehakt	

Bereidingswijze

1
Snijd met een scherp mes de aubergines in de lengte in vieren. Snijd deze stukken in stukjes van ± 1 cm.

2
Leg de auberginestukken in een schaal en bestrooi ze royaal met zout. Roer alles goed om.
Dek het geheel af met plasticfolie en laat het 30 min. rusten.

3
Spoel de aubergine goed onder de koude kraan af. Dep hem met een schone theedoek droog.

4
Verhit de helft van de olie in een wok, voeg het knoflook toe en bak tot het zacht maar niet verkleurd is.

5
Voeg de aubergines toe en roerbak hem 3-4 min.

6
Voeg de lente-uitjes en chilipeper aan de gare aubergine toe en roerbak dit nog 1 min. Schep het
aubergine-uimengsel uit de wok en zet het apart. Houd het mengsel warm.

7
Verhit de resterende olie in de wok, voeg de kip toe en roerbak 2 min. totdat de kip door en door gaar is.

8
Doe de aubergine en uien terug in de pan en roerbak het geheel 2 min. tot alles goed warm is.

9
Meng de andere ingrediënten en giet deze al roerende over de kip en aubergines in de wok. Roer de saus
totdat hij helder en ingedikt is. Dien direct op.

Serveersuggestie
Serveer dit gerecht als onderdeel van een Chinese maaltijd met eiermie.

Variatie
Gebruik lams- of rundvlees in plaats van kip. Gebruik 2 fijngehakte sjalotjes in plaats van lente-uitjes.

Tip van de kok
Deze groenten kunnen ruim van tevoren bereid worden, maar de aubergines moeten na 30 min. uit de
zout gehaald worden, anders drogen ze te veel uit.

Kip met walnoten en selderij

De oestersaus geeft een zoutige smaak aan dit aantrekkelijke Kantonese gerecht.

Voorbereidingstijd: 15 min. • Bereidingstijd: 10 min. • Voor 4 personen

Ingrediënten

225 g kipfilet, in blokjes van 2,5 cm	2 el arachideolie
2 tl sojasaus	1 teentje knoflook
2 tl cognac	115 g gehalveerde walnoten
1 tl maïzena	3 stengels selderij, dun en diagonaal gesneden
zout en versgemalen zwarte peper	2 tl oestersaus
	1,5 dl kippenbouillon

Bereidingswijze

1

Meng in een schaal de kip met de sojasaus, cognac, maïzena, zout en peper.

2

Verhit in de wok de olie en knoflook. Bak dit 1 min. om de olie smaak te geven.

3

Verwijder het knoflook en gooi het weg, voeg dan de kip in twee porties toe. Roerbak de filets snel zonder dat de kip bruin wordt. Haal de kip eruit en houd deze op een schotel warm. Roerbak de walnoten 2 min. in de wok tot ze bruin en knapperig zijn.

4

Voeg de selderij toe en roerbak deze 1 min. Voeg de oestersaus en kippenbouillon toe en breng het aan de kook. Voeg, wanneer het kookt, de kip weer toe en roer alles goed om. Dien direct op.

Serveersuggestie

Serveer er gekookte verse groenten en rijst bij.

Variatie

Gebruik amandelen of cashewnoten in plaats van walnoten en voeg deze gelijk met de selderij toe.
Gebruik wortels in plaats van selderij.

Tip van de kok

Noten verbranden snel. Roer constant om ze gelijkmatig te verkleuren.

Roergebakken kippenlevers

Kippenlevers zijn niet vet en zeer smakelijk. De bereidingstijd ervan is kort en ze zijn dus perfect voor roerbakgerechten.

Voorbereidingstijd: 20 min. • Bereidingstijd: 10 min. • Voor 4 personen

Ingrediënten

450 g kippenlevers	8-10 Chinese koolbladeren, in reepjes
3 el sesamolie	2 tl maïzena
55 g geblancheerde, gehalveerde amandelen	2 el sojasaus
1 teentje knoflook	1,5 dl kippen- of groentebouillon
55 g peultjes, afgehaald	

Bereidingswijze

1

Maak de kippenlevers schoon, verwijder verkleurde delen en pezen. Snijd de levertjes in gelijkmatige stukken en zet ze apart.

2

Verhit de wok en giet de olie erin. Temper het vuur zodra de olie heet is en roerbak de amandelen tot ze goudbruin zijn. Haal de amandelen uit de wok en laat de olie teruglopen. Laat ze op keukenpapier uitlekken.

3

Bak het teentje knoflook 1-2 min. in de wok om de olie smaak te geven. Verwijder het knoflook en gooi het weg.

4

Voeg de levertjes aan de olie toe en roerbak ze in 2-3 min. gelijkmatig bruin. Haal ze uit de wok en houd ze warm.

5

Roerbak de peultjes 1 min. in de hete olie. Voeg de Chinese kool toe en bak hem 1 min. Haal de groenten uit de wok; zet ze apart en houd ze warm.

6

Meng in een schaal de maïzena met 1 el koud water, roer dan de sojasaus en bouillon erdoor.

7

Giet het maïzenamengsel in de wok en breng het al roerende aan de kook, totdat de saus helder en ingedikt is.

8

Doe alle andere ingrediënten erbij en warm het 1 min. door, tot alles goed warm is. Dien direct op.

Serveersuggestie

Serveer er nasi of gekookte eiermie bij.

Variatie

Gebruik fijngesneden lams- of kalfslever in plaats van kippenlever. Gebruik spinazie in plaats van Chinese kool.

Pittige eend met chilipepers

Een overheerlijk roerbakgerecht met eendenborstfilet in een hete, gekruide saus.

Voorbereidingstijd: 10 min. + 15 min. marineren • Bereidingstijd: 10 min. • Voor 4 personen

Ingrediënten

500 g eendenborstfilet, zonder vel	3 el rijstazijn
5 el lichte sojasaus	3 el oestersaus
1 el aardappelmeel	3 el donkere sojasaus
2 el eiwit, geklopt	1 el gemberwortel, fijngehakt
3 el + 5 dl plantaardige olie	85 g lente-uitjes, fijngehakt
2 el arachideolie	5 verse rode chilipepers, in dunne reepjes
1 tl maïzena	kwastje van lente-uitje (zie 'Serveersuggestie', blz 32), ter garnering
3 el rijstwijn	

Bereidingswijze

1

Spoel de eendenfilet onder de koude kraan af, dep hem met keukenpapier droog en snijd hem in dunne reepjes.
Meng voor de marinade 2 el lichte sojasaus, aardappelmeel, eiwit en 3 el plantaardige olie.
Voeg de eend toe, roer alles door elkaar en laat het geheel 15 min. marineren.

2

Meng voor de saus de arachideolie, de resterende lichte sojasaus (3 el), maïzena, rijstwijn en -azijn,
oestersaus, donkere sojasaus en 3 el water in een schaal. Zet de schaal apart.

3

Verhit de resterende plantaardige olie (5 dl) in een wok en bak de eend 1 min.
Haal de eend uit de wok en houd hem warm.

4

Giet alles af, maar houd ca. 75 ml olie over. Verhit dit opnieuw en roerbak de gember hierin 1 min. Doe de eend
weer in de wok met de lente-uitjes en chilipepers en roerbak alles nog eens 2 min.

5

Giet de marinade en saus erbij en roerbak het 1 min. tot het goed warm is.
Dien direct op gegarneerd met een lente-uikwastje.

Serveersuggestie

Serveer er geurige pandanrijst bij.

Variatie

Vervang de eend door kip of varkensvlees. Gebruik droge sherry in plaats van rijstwijn.

Roergebakken eendenborstfilet

Een eenvoudig roerbakgerecht van eend, tahoe (tofoe) en Chinese groenten.

Voorbereidingstijd: 15 min. + 40 min. weken • Bereidingstijd: 10 min. • Voor 4 personen

Ingrediënten

300 g eendenborstfilet, ontveld	2 el lichte sojasaus
200 g spinazie	2 el donkere sojasaus
3 Chinese paddestoelen, 40 min. in koud water geweekt en uitgelekt	1 el rijstwijn
150 g tahoe (tofoe)	1 tl zout
5 dl plantaardige olie	versgemalen zwarte peper
7 el sojaolie	1 el suiker
1-2 teentjes knoflook, fijngehakt	1½ tl aardappelmeel
	5 el kippenbouillon

Bereidingswijze

1

Spoel de eendenfilet onder de koude kraan af en blancheer hem 3-5 min. in een pan met kokend water. Haal hem uit het water en laat hem afkoelen. Snijd hem in reepjes.

2

Was en bereid de spinazie. Snijd de paddestoelen en de tahoe in stukjes.

3

Verhit de olie in een wok en roerbak de tahoe ca. 2 min. Haal de tahoe uit de wok en zet die apart. Giet de olie af.

4

Verhit de sojaolie in de wok, voeg knoflook, spinazie, tahoe en eendenborstfilet toe, dek de wok af en laat alles 1 min. bakken.

5

Roer voor de saus de sojasauzen, rijstwijn, zout en peper, suiker en aardappelmeel bij de kippenbouillon. Schenk dit in de wok en roerbak het geheel 2 min. Dien direct op.

Serveersuggestie

Serveer er nasi met ei of mie bij.

Variatie

Vervang de eend door kip of kalkoen. Gebruik lente-uitjes in plaats van spinazie en gember in plaats van knoflook.

Knapperige eend

Een smakelijke bewerking van een klassiek oosters gerecht.

Voorbereidingstijd: 2 uur • Bereidingstijd: 10 min. • Voor 4-6 personen

Ingrediënten

1 eend van 1,8-2 kg	1 tl sambal oelek
1 l plantaardige olie	1 tl azijn
5 el arachideolie	½ tl zout
3 teentjes knoflook, in dunne schijfjes	1 el suiker
100 g peultjes, afgehaald	3 el sojasaus
55 g wortel, in dunne reepjes	2 el rijstwijn
2 verse rode chilipepers, in dunne reepjes	1 el aardappelmeel
20 g lente-uitjes, in dunne reepjes	

Bereidingswijze

1
Spoel de eend onder de koude kraan af en laat hem goed uitlekken. Doe de eend in de wok en bedek hem met 3 liter water. Breng het water aan de kook en laat de eend 2 uur afgedekt sudderen totdat het vlees van het bot loskomt.

2
Gooi het water weg. Verwijder vel en botten en snijd het vlees in kleine stukjes.

3
Verhit de plantaardige olie in een wok en roerbak de eend 1 min. Haal het vlees uit de wok en laat het uitlekken, bak dan de eend weer tot deze goudbruin en krokant is. Haal de eend weer uit de wok, laat het vlees goed uitlekken op keukenpapier en zet het apart. Giet de olie af.

4
Verhit de arachideolie in de wok, voeg knoflook, peultjes, wortels en chilipepers toe en roerbak alles 1 min. Voeg de lente-uitjes toe en roerbak weer 1 min.

5
Doe de eend terug in de wok, voeg sambal oelek, azijn, zout, suiker, sojasaus en rijstwijn toe en roerbak het geheel 1 min. Meng het aardappelmeel met 3 el water, voeg dit aan de wok toe en roerbak het, tot de saus is ingedikt. Dien direct op.

Serveersuggestie
Serveer er gekookte rijst of eiermie bij.

Variatie
Gebruik kip of een kleine kalkoen in plaats van eend. Neem pastinaak in plaats van wortel.

Roergebakken varkensvlees

Reepjes varkensvlees worden met wortels gebakken en geserveerd in een volle, zachtzoete saus.

Voorbereidingstijd: 10 min. • Bereidingstijd: 45 min. • Voor 4-6 personen

Ingrediënten

500 g varkensvlees, ontbeend	*75 ml sojasaus*
200 g wortels	*125 ml umeboshi (pruimensaus)*
5 dl plantaardige olie	*20 g bruine suiker*
8 el arachideolie	*5 dl vleesbouillon*
20 g gemberwortel, geschild en in schijfjes	*1 tl zout*
1 tl maïzena	*takjes verse kruiden, ter garnering*

Bereidingswijze

1

Spoel het vlees onder de koude kraan af, dep het met keukenpapier droog en snijd het in reepjes.
Snijd de wortels en zet ze apart.

2

Verhit de plantaardige olie in een wok en roerbak het vlees 2 min. Haal het vlees uit de wok en laat het op keukenpapier uitlekken. Zet het vlees apart en houd het warm. Giet de olie af.

3

Verhit de arachideolie in de wok en roerbak de gember 1 min. Rol het vlees door de maïzena en bedek het met sojasaus. Bak een paar stukjes tegelijk 2 min. in de wok. Leg ze op een schotel en houd ze warm terwijl u de rest bakt.

4

Doe het vlees terug in de wok, voeg de wortels toe en bak het geheel 1-2 min.

5

Voeg de pruimensaus, suiker, bouillon en zout toe. Dek de wok af en laat het geheel 30 min. sudderen totdat het vlees gaar is; roer af en toe. Dien het vlees warm op, gegarneerd met takjes verse kruiden.

Serveersuggestie

Serveer er gekookte rijst of nasi bij.

Variatie

Vervang het varkensvlees eventueel door rund- of lamsvlees. Gebruik mei- of koolraap in plaats van wortels en knoflook in plaats van gember.

Gesmoord varkensvlees

Deze aromatische, pittige vleesschotel wordt geserveerd met gekookte rijst of eiermie.

Voorbereidingstijd: 55 min. • Bereidingstijd: 30 min. • Voor 4-6 personen

Ingrediënten

1 kg schouderkarbonade	2 el suiker
6 el plantaardige olie	2,5 dl rijstwijn
2 stukjes steranijs	½ tl zout
5 dl vleesbouillon	50 g lente-uitjes, in reepjes van 5 cm
85 g zoete bonenpuree	
75 ml lichte sojasaus	1 el sesamolie

Bereidingswijze

1
Spoel het vlees onder de koude kraan af. Dep het met keukenpapier droog en verwijder de botten. Kook het vlees in een grote pan zacht kokend water. Schep het vlees eruit en leg het 30 min. in koud water.
Laat het vlees uitlekken, dep het droog en snijd het in blokjes.

2
Verhit de plantaardige olie in een wok en roerbak de steranijs 30 sec. Voeg de bouillon, bonenpuree, sojasaus, suiker, rijstwijn en zout toe en roerbak alles 5 min.

3
Voeg het vlees toe. Temper het vuur en roerbak het vlees 20 min. Zet het vuur hoog en laat de saus inkoken.

4
Voeg de lente-uitjes en sesamolie toe en roerbak ze 1 min. Dien het vlees warm op.

Serveersuggestie
Serveer er gekookte rijst of mie, of nasi bij.

Variatie
Gebruik sesamolie in plaats van plantaardige olie en vervang rijstwijn door droge sherry.

Varkensvlees met vijfkruidenpoeder

Serveer deze pittige en zoete varkensvleesschotel met gekookte rijst.

Voorbereidingstijd: 10 min. • Bereidingstijd: 15 min. • Voor 6 personen

Ingrediënten

Voor de rode kerriepuree (3-4 el):

12 kleine rode chilipepers, fijngehakt

3 teentjes knoflook, geperst

1 stengel citroengras, fijngesneden

1 kleine ui, fijngehakt

1 tl gemberwortel, geraspt

2 tl koriandertakjes, fijngehakt

¼ tl komijnpoeder

1 tl garnalenpuree (trassi)

2 el plantaardige olie

700 g doorregen varkenslappen

2 el arachideolie

1 el rode kerriepuree

2 el vissaus

1 el lichte sojasaus

2 el suiker

1 tl vijfkruidenpoeder

1 el citroengras, fijngehakt

verse korianderblaadjes en gedraaide limoenschijfjes, ter garnering

Bereidingswijze

1

Pureer voor de rode kerriepuree chilipepers, knoflook, citroengras en ui met een stamper en vijzel.

2

Voeg op de olie na alle andere ingrediënten toe en blijf pureren. Voeg daarna de olie toe.

3

Snijd het vlees in reepjes van 4 cm en zet ze apart.

4

Verhit de olie in een wok, voeg de kerriepuree toe en roerbak dit 2 min. Roer de vissaus, sojasaus, suiker, vijfkruidenpoeder en citroengras erdoor en roerbak het geheel 3 min.

5

Voeg het vlees toe en bak het al roerende 10 min. totdat het vlees gaar is.

6

Serveer het vlees warm, gegarneerd met verse koriander en gedraaide limoenschijfjes.

Serveersuggestie

Serveer er gekookte rijst bij.

Variatie

Gebruik rund- of lamsvlees in plaats van varkensvlees.

Lever met peultjes

Een aparte manier om lever te serveren en een snelle, gemakkelijk te bereiden schotel.
U kunt varkens- lams- of kalfslever voor dit gerecht gebruiken.

Voorbereidingstijd: 15 min. + 15 min. marineren • Bereidingstijd: 5 min. • Voor 4 personen

Ingrediënten

400 g varkens-, lams- of kalfslever	10 g gemberwortel, fijngehakt
1 el aardappelmeel	
2 tl lichte sojasaus	**Voor de saus:**
1 tl rijstwijn	3 el donkere sojasaus
5 el arachideolie	1 el Sha-Cha-Jiangsaus
200 g waterkastanjes uit blik, uitgelekt en in schijfjes	1 tl rijstwijn
150 g peultjes, afgehaald	½ tl suiker
5 dl plantaardige olie	2 snufjes witte peper
5 el sesamolie	1½ tl maïzena

Bereidingswijze

1
Spoel de lever onder de koude kraan af en dep hem droog met keukenpapier. Verwijder het buitenste vel
en gooi dit weg, snijd de lever in dunne reepjes. Zet ze apart.

2
Meng in een schaal het aardappelmeel met 2 el water, lichte sojasaus, rijstwijn en arachideolie.
Roer de stukjes lever erdoor en laat ze 15 min. marineren.

3
Leg intussen de waterkastanjes en peultjes 15 min. in koud water. Laat ze goed uitlekken
en dep ze droog met keukenpapier.

4
Verhit de plantaardige olie in een wok en roerbak de lever 1 min. Haal de stukjes lever uit de wok,
laat ze uitlekken en zet ze apart. Giet de olie af. Verhit de sesamolie in de wok en
roerbak de gember, waterkastanjes en peultjes 1 min.

5
Meng voor de saus de donkere sojasaus, Sha-Cha-Jiangsaus, wijn, suiker en peper in een schaal. Voeg de
saus aan de wok met lever toe en roerbak alles 1 min. totdat de lever gaar en zacht is.

6
Meng de maïzena met 5 el water. Voeg dit aan de wok toe en laat het al roerende indikken. Dien de lever warm op.

Serveersuggestie
Serveer er aromatische rijst en een salade van groene bladgroenten bij.

Variatie
Gebruik sugar snaps of schijfjes champignon in plaats van peultjes.

Tip van de kok
Sha-Cha-Jiangsaus is bij de toko verkrijgbaar.

Rundvlees met paprika's en ananas

Mager rundvlees, rode en groene paprika en lente-uitjes combineren uitstekend
met ananas in deze smakelijke roerbakschotel.

Voorbereidingstijd: 10 min. + 10 min. marineren • Bereidingstijd: 8-10 min. • Voor 2-4 personen

Ingrediënten

250 g runderbiefstuk	½ tl versgemalen zwarte peper
2 el aardappelmeel	5 dl plantaardige olie
5 el + 8 el arachideolie	100 g rode en groene paprika, zonder zaadjes en fijngesneden
4 tl sesamolie	
1 el suiker	200 g ananaspartjes uit blik, uitgelekt
4 el rijstazijn	55 g lente-uitjes, gesnipperd
1 tl zout	2 dl kippenbouillon

Bereidingswijze

1

Spoel het vlees onder de koude kraan af, dep het droog met keukenpapier en snijd het in dunne reepjes.
Meng in een schaal 1 el aardappelmeel met 2 el water en 75 ml arachideolie. Voeg het
vlees toe, meng alles door elkaar en laat het 10 min. marineren.

2

Meng de resterende bloem in een schaal met 6 el water, sesamolie, suiker, azijn, zout en zwarte peper. Zet dit apart.

3

Verhit de plantaardige olie in een wok en roerbak het vlees 1 min. Haal het uit de wok en houd het warm.
Doe de paprika en ananas in de wok en bak ze 1 min.

4

Haal ze met een schuimspaan uit de wok, leg ze op een schotel en houd ze warm. Zet ze apart.

5

Giet de olie af. Verhit de resterende 8 el arachideolie in de wok en roerbak het lente-uitje,
paprika's en ananas 1 min. op hoog vuur.

6

Doe het vlees terug in de wok met de bouillon en de marinade en roerbak het 2-3 min. Bind de saus met
het bloemmengsel. Roerbak het vlees tot het warm en ingedikt is. Dien het direct op.

Serveersuggestie

Serveer er gekookte rijst of eiermie bij.

Variatie

Gebruik lams- of varkensvlees in plaats van rundvlees. Gebruik verse ananas in plaats van ananas uit blik.

Pittig rundergehakt

Deze hete en gekruide schotel komt uit Noord-Thailand. Verwijder de zaden van de chilipepers en verminder de hoeveelheid als u een mildere schotel prefereert.

Voorbereidingstijd: 10 min. • Bereidingstijd: 15-20 min. • Voor 4 personen

Ingrediënten

1 el kleefrijst	*450 g mager rundergehakt*
1 el arachideolie	*sap van 1 citroen*
1 stengel citroengras, fijngesneden	*2 el vissaus*
4 kleine rode chilipepers, in ringen	*1 el korianderblaadjes, fijngehakt*
2 teentjes knoflook, fijngehakt	*limoenpartjes, ter garnering*
1 el gemberwortel, geraspt	

Bereidingswijze

1

Roerbak de rijst 5-10 min. in een droge wok totdat de korrels rondom goudbruin zijn. Schud de wok tijdens het bakken.

2

Doe de geroosterde rijst in een vijzel en stamp ze met de stamper tot poeder.

3

Verhit de olie in de wok en roerbak citroengras, knoflook en gember 3 min.

4

Voeg het vlees toe en roerbak het totdat het verkleurt, verkruimel het tijdens het bakken.

5

Besprenkel het gare vlees met citroensap en vissaus. Voeg de gemalen rijst toe en roerbak het geheel 1 min.

6

Schep het vlees op een platte schaal. Bestrooi het gerecht met fijngehakte korianderblaadjes en garneer het met limoenpartjes. Serveer het direct.

Serveersuggestie

Serveer er roergebakken gemengde groenten en gekookte rijst of mie bij.

Variatie

Gebruik lams- of varkensgehakt in plaats van rundergehakt. Vervang de citroen door limoen.

Tip van de kok

Als u geen vijzel en stamper hebt: doe de rijst in een plastic zak en stamp hem met een deegroller.

Rundvleesreepjes met groenten

Een pittig roerbakgerecht met rundvlees, selderij, wortel en prei. Varieer de schotel door andere verse seizoensgroente te gebruiken.

Voorbereidingstijd: 15 min. • Bereidingstijd: 10 min. • Voor 4 personen

Ingrediënten

225 g magere runderbiefstuk, in dunne repen	*1 prei, alleen het witte gedeelte in dunne repen van 5 cm*
½ tl zout	*2 teentjes knoflook, fijngehakt*
4 el plantaardige olie	*1 tl lichte sojasaus*
1 rode en 1 groene chilipeper, doormidden, zonder zaadjes en in repen	*1 tl donkere sojasaus*
1 tl azijn	*2 tl rijstwijn of droge sherry*
1 stengel selderij, in reepjes van 5 cm	*1 tl basterdsuiker*
2 wortels, in reepjes van 5 cm	*½ tl versgemalen zwarte peper*

Bereidingswijze

1
Leg de reepjes rundvlees in een grote schaal en bestrooi ze met zout. Wrijf het zout in het vlees en laat het 5 min. intrekken.

2
Verhit 1 el olie in een wok. Temper het vuur zodra de olie walmt en roerbak het vlees en de chilipepers 4-5 min.

3
Voeg de resterende olie toe en blijf roerbakken tot het vlees knapperig is.

4
Voeg eerst azijn toe en roerbak tot die verdampt is, voeg dan de selderij, wortels, prei en knoflook toe en roerbak het geheel weer 2 min.

5
Meng in een kleine schaal de sojasauzen, wijn of sherry, suiker en zwarte peper. Giet de saus over het vlees en roerbak het 2 min. Dien het gerecht direct op.

Serveersuggestie
Serveer er gekookte rijst en kroepoek bij.

Variatie
Gebruik kip, varkens- of lamsvlees in plaats van rundvlees.

Tip van de kok
Wees voorzichtig met chilipepers. Voorkom tijdens het schoonmaken contact met de ogen en mond. Bij aanraking de lichaamsdelen goed met koud water afspoelen.

Pittig rundvlees

Een geurig, pittig, snel en eenvoudig te bereiden Chinees gerecht.

Voorbereidingstijd: 10 min. + 20 min. marineren • Bereidingstijd: 6 min. • Voor 4 personen

Ingrediënten

450 g runderbiefstuk	½ tl zout
1 tl bruine suiker	2 el plantaardige olie
2-3 stukken steranijs, gemalen	6 lente-uitjes, gesnipperd
½ tl venkel, gemalen	1 el lichte sojasaus
1 tl donkere sojasaus	½ tl versgemalen zwarte peper
2,5 cm gemberwortel, geschild en geraspt	

Bereidingswijze

1
Snijd het vlees in reepjes van 2,5 cm en zet het apart.

2
Meng de suiker, specerijen en donkere sojasaus in een schaal.

3
Voeg vlees, gember en zout toe en meng alles door elkaar.
Dek het af en laat het 20 min. marineren.

4
Verhit de olie in een wok en roerbak het lente-uitje 1 min.

5
Voeg het vlees toe en roerbak het 4 min. tot het mooi bruin is.

6
Voeg de lichte sojasaus en zwarte peper toe en laat het al roerende 1 min. afkoelen. Dien het gerecht warm op.

Serveersuggestie
Serveer het vlees met een pittige dipsaus en nasi.

Variatie
Voeg voor de verandering 115 g in plakjes gesneden champignons en 225 g gekookte Chinese eiermie toe.

Szechuan gehaktballen

Szechuan is een streek in China waar een bepaalde kookstijl zijn naam aan ontleent.
In deze keuken worden veel specerijen gebruikt.

Voorbereidingstijd: 20 min. • Bereidingstijd: 40 min. • Voor 4 personen

Ingrediënten

85 g geblancheerde amandelen	plantaardige olie, om te frituren
450 g rundergehakt	3 el donkere sojasaus
1 tl gemberwortel, geraspt	125 ml groentebouillon
1 teentje knoflook, geperst	1 el rijstwijn of witte wijnazijn
½ grote groene paprika, zonder zaadjes en fijngehakt	2 tl honing
scheutje Szechuansaus	1 el droge sherry
2 el lichte sojasaus	1 el maïzena
	4 lente-uitjes, diagonaal gesneden

Bereidingswijze

1
Verdeel de amandelen over een bakplaat en rooster ze in 3-4 min. lichtbruin onder een matig warme grill.
Schep ze om, zodat ze niet verbranden. Hak ze met een groot, scherp mes in grove stukken.

2
Meng in een grote schaal de gehakte amandelen met gehakt, gember, knoflook, groene paprika,
Szechuansaus en lichte sojasaus goed door elkaar.

3
Verdeel het mengsel in 16 gelijke porties en rol er balletjes van op een licht met bloem bestoven oppervlak.

4
Verhit een beetje olie in een wok en voeg een paar balletjes tegelijk toe.

5
Bak de balletjes in 20 min. op laag vuur bruin.

6
Leg ze in een schaal en houd ze warm terwijl u de rest bakt. Zet ze apart.

7
Roer de donkere sojasaus, bouillon, wijn of wijnazijn in de wok en breng het aan de kook. Laat het
30 sec. doorkoken. Voeg de honing toe en roer tot die is opgelost.

8
Meng de sherry en maïzena in een kommetje en voeg dit aan de warme saus toe. Laat het al roerende indikken.

9
Verdeel de balletjes op een schaal en bestrooi ze met de lente-uitjes. Giet de saus erover en dien ze direct op.

Serveersuggestie
Serveer er gekookte rijst en een frisse tomatensalade bij.

Variatie
Vervang het rundergehakt voor kalkoen- of kipgehakt. Gebruik hazel- of paranoten in plaats van amandelen.

Tip van de kok
De rauwe gehaktballen kunnen tot 3 maanden in de diepvriezer worden bewaard. De saus moet vers worden bereid.

Vlees

Tahoe met champignons en spinazie

Een overheerlijke vegetarische maaltijd van gebakken tahoe (tofoe) en champignons, geserveerd op een bedje van vers bereide spinazie.

Voorbereidingstijd: 15 min. • Bereidingstijd: 20 min. • Voor 4 personen

Ingrediënten

300 g tahoe (tofoe)	2,5 dl groentebouillon
125 g champignons	2 el donkere sojasaus
200 g spinazie	1 el basterdsuiker
3 el arachideolie	½ tl zout
snufje bruine suiker	1 tl aardappelmeel
5 el plantaardige olie	3 el sesamolie
1½ el Sha-Cha-Jiangsaus	

Bereidingswijze

1

Snijd de tahoe in blokjes van 2 cm en zet ze apart. Borstel de champignons schoon en snijd ze in dunne schijfjes, zet ze apart. Verwijder de steeltjes van de spinazie; was de spinazie grondig. Blancheer de spinazie even in de wok. Schep de spinazie eruit en zet hem apart.

2

Verhit de arachideolie in de wok, voeg de spinazie en bruine suiker toe en roerbak alles 1 min. Schep alles met een schuimspaan op een bord en houd het warm.

3

Verhit de plantaardige olie in de wok en voeg de Sha-Cha-Jiangsaus, bouillon, tahoe en champignons toe. Temper het vuur en roerbak alles 5-6 min. Voeg donkere sojasaus, basterdsuiker, zout, aardappelmeel en sesamolie toe en roerbak alles tot het warm en ingedikt is. Serveer de tahoe op een bedje van gekookte spinazie.

Serveersuggestie

Serveer er geurige pandanrijst bij.

Variatie

Gebruik courgettes in plaats van champignons.

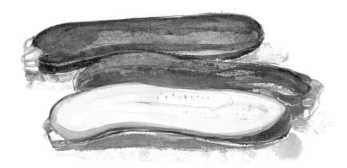

Gesmoorde pompoen met aubergine

Een aparte groenteschotel die een voedzame vegetarische hoofdmaaltijd vormt.

Voorbereidingstijd: 10 min. • Bereidingstijd: 25-35 min. • Voor 4 personen

Ingrediënten

200 g aubergine	2$\frac{1}{2}$ el suiker
500 g pompoen	1$\frac{1}{2}$ tl zout
6 el arachideolie	snufje versgemalen zwarte peper
3 teentjes knoflook, fijngehakt	3 el sesamolie
5 dl kippen- of groentebouillon	

Bereidingswijze

1

Maak de aubergines schoon en was ze. Snijd ze in driehoekjes en zet ze apart. Schil de pompoen, verwijder de zaden en snijd het vruchtvlees in schijfjes. Zet ze apart.

2

Verhit de arachideolie in een hete wok en roerbak knoflook en aubergines 2 min.
Voeg de pompoen toe en roerbak alles 1 min.

3

Voeg de bouillon toe, breng die aan de kook en laat het geheel op een matig hoog vuur 20-30 min. sudderen; roer af en toe.
Voeg suiker, zout en peper toe en kook het, al roerende nog eens 3 min. op hoog vuur zodat de saus inkookt.

4

Serveer de groenteschotel warm met sesamolie over de aubergine en pompoen gegoten.

Serveersuggestie

Serveer er gekookte rijst, pasta of knapperig brood bij.

Variatie

Gebruik patisson in plaats van pompoen en courgettes in plaats van aubergines.

Uienpannenkoek met kokossaus

Deze exotische rijstkoek, die naar ui smaakt, wordt in de wok gebakken en daarna met romige kokossaus overgoten.

Voorbereidingstijd: 15 min. • Bereidingstijd: 15 min. • Voor 2-4 personen

Ingrediënten

350 g uien	375 ml kokosmelk
3 el risottorijst, gekookt	2 el tomatenketchup
8 el tarwebloem	1½ tl sambal oelek
snufje zout + ½ tl extra	¼ tl witte peper
½ tl suiker	1,5 dl plantaardige olie
2 el arachideolie	250 g lente-uitjes, in dunne reepjes

Bereidingswijze

1

Pel de uien en hak ze fijn. Doe ze in een schaal met de rijst, bloem, 125 ml water, een snufje zout, suiker en de arachideolie. Meng alles door elkaar en zet het apart.

2

Meng voor de saus de kokosmelk, tomatenketchup, sambal oelek, de rest van het zout en de witte peper in een schaal en zet het apart.

3

Verhit 5 el plantaardige olie in een wok. Giet de helft van het rijstmengsel in de wok, zodat de bodem gelijkmatig bedekt is. Bak de koek ± 5 min. aan beide kanten. Schep de koek uit de pan, leg hem op een bord en houd hem warm. Herhaal dit met de rest.

4

Verhit de resterende olie in de wok en voeg de lente-uitjes en de saus toe. Roerbak het geheel 2 min. Giet de saus over de koeken en dien ze direct op.

Serveersuggestie

Serveer er roergebakken groenten bij.

Variatie

Gebruik prei in plaats van uien en zilvervliesrijst in plaats van risotto.

Tip van de kok

Kokosmelk uit blik is in veel supermarkten en toko's verkrijgbaar. Roer de inhoud van het blik voor gebruik.

Roergebakken mini-maïskolfjes met stropaddestoelen

Een smakelijk Thais bijgerecht dat heel snel en gemakkelijk te bereiden is.

Voorbereidingstijd: 10 min. • Bereidingstijd: 8-10 min. • Voor 4 personen

Ingrediënten

2 el plantaardige olie

2 teentjes knoflook, geperst

4 sjalotjes, fijngehakt

450 g mini-maïskolfjes, in de lengte doorgesneden

115 g peultjes

225 g stropaddestoelen uit blik

1 el galanga, geraspt

½ tl gedroogde chilivlokken

1 el vissaus

1 el sojasaus

Bereidingswijze

1

Verhit de olie in een wok en roerbak het knoflook en de sjalotjes glazig.

2

Voeg de maïskolfjes toe en roerbak ze 5 min. Voeg de peultjes toe en roerbak ze nog eens 2 min.

3

Voeg de paddestoelen, galanga en chilivlokken toe en roerbak alles 2 min. Besprenkel het geheel met vis- en sojasaus en dien het direct op.

Serveersuggestie

Serveer er gegrild mager vlees of vis en gekookte rijst of mie bij.

Variatie

Gebruik 1 ui in plaats van sjalotjes. Gebruik mini-courgettes in plaats van maïskolfjes.

Tip van de kok

Galanga lijkt veel op gember, maar heeft een geuriger, mildere smaak. Gebruik het op dezelfde manier als gember. In de toko is het zowel vers als in gedroogde vorm verkrijgbaar. Gebruik gember als u het niet kunt vinden.

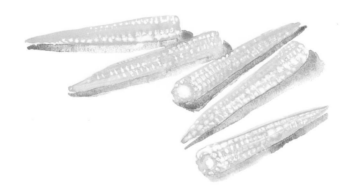

Groenten

Roergebakken groenten met tahoe

Tahoe (tofoe) bevat veel eiwitten en past goed in vegetarische maaltijden. Met roergebakken gemengde groenten, zoals in dit recept, vormt het een zeer voedzame maaltijd.

Voorbereidingstijd: 15 min. • Bereidingstijd: 8-10 min. • Voor 4 personen

Ingrediënten

50 ml plantaardige olie	50 ml sojasaus
25 hele, geblancheerde amandelen	1 tl sesamolie
4 takjes broccoli, in roosjes verdeeld en de stelen gesneden	1 tl droge sherry
115 g mini-maïskolfjes in de lengte doormidden	1,5 dl groentebouillon
	2 tl maïzena
1 teentje knoflook, geperst	115 g taugé
1 rode paprika, zonder zaadjes in dunne schijfjes	4 lente-uitjes, diagonaal gesneden
115 g peultjes	225 g tahoe (tofoe), in kleine blokjes
55 g waterkastanjes uit blik, in dunne schijfjes	zout en versgemalen zwarte peper

Bereidingswijze

1
Verhit de olie in een wok. Roerbak de amandelen goudbruin.
Haal ze uit de wok en zet ze apart.

2
Doe de broccolistelen en maïs in de wok en roerbak ze 1-2 min.

3
Voeg knoflook, rode paprika, peultjes, waterkastanjes en broccoliroosjes toe en roerbak alles 1-2 min.

4
Meng in een kleine kom de sojasaus, sesamolie, sherry, bouillon en maïzena tot een gladde massa.

5
Giet het maïzenamengsel over de groenten en roerbak het geheel 1-2 min. tot het ingedikt en warm is.

6
Voeg de taugé, amandelen, lente-uitjes en tahoe toe. Roerbak ze 1-2 min. totdat alles goed warm is.

7
Breng het geheel op smaak met zout en peper en dien het gerecht direct op.

Serveersuggestie
Serveer er gekookte rijst of gemengde granen en zaden bij.

Variatie
Gebruik allerlei seizoensgroente. Neem gerookte tahoe (tofoe) in plaats van gewone.

Roergebakken bonen met taugé

Dit roerbakgerecht zit vol gezonde voedingsvezels en is gemakkelijk te bereiden, zeker in de magnetron.

Voorbereidingstijd: 45 min. • Bereidingstijd: 8 min. • Voor 4 personen

Ingrediënten

225 droge adukibonen, 24 uur in water geweekt	*1 grote, groene paprika, zonder zaadjes en in dunne repen*
1 el sojaolie	*225 g taugé*
1 grote ui, in dikke ringen	*4 el sojasaus*

Bereidingswijze

1
Laat de bonen uitlekken en doe ze in een grote schaal. Bedek ze met kokend water en dek de schaal af met plasticfolie. Prik gaatjes in de folie.

2
Kook de bonen 10 min. op de hoogste stand in de magnetron en nog eens 30 min. op de middelste stand, totdat de bonen zacht en helemaal gaar zijn.

3
Giet de bonen af en spoel ze onder de koude kraan. Laat ze in een vergiet verder uitlekken.

4
Verhit de olie in een wok. Roerbak de ui en paprika 2-3 min.

5
Voeg de taugé toe en roerbak ze 1 min.

6
Voeg de gekookte bonen en sojasaus aan de groenten toe en roerbak ze 3-4 min. totdat alles gaar en goed warm is. Dien de groenteschotel direct op.

Serveersuggestie
Serveer er gekookte zilvervlies- of witte rijst bij.

Variatie
Gebruik rode of gele paprika in plaats van groene.

Tip van de kok
Het weken van de bonen moet zorgvuldig gebeuren. Het vocht moet goed opgenomen zijn. Zorg ervoor dat de bonen helemaal gaar zijn.

Bloemkool met gember

Dit is een eenvoudig en licht aromatisch groentegerecht, zacht gekruid met gember.

Voorbereidingstijd: 10 min. • Bereidingstijd: 15 min. • Voor 4 personen

Ingrediënten

3 el plantaardige olie	*1 middelgrote bloemkool, in roosjes van 2,5 cm verdeeld*
2,5 cm gemberwortel, geschild en in schijfjes gesneden	*zout, naar smaak*
	2-3 takjes verse koriander, fijngehakt
1-2 groene chilipepers, in de lengte doormidden	*sap van 1 citroen*

Bereidingswijze

1
Verhit de olie in een wok en roerbak de ui, gember en chilipepers 2-3 min. op hoog vuur.

2
Voeg bloemkool en zout toe. Meng ze door elkaar.

3
Dek de wok af en laat het geheel op laag vuur 5-6 min. doorbakken; roer af en toe.

4
Voeg de fijngehakte koriander toe en bak alles al roerende 2-3 min. totdat de bloemkoolroosjes beetgaar zijn.

5
Besprenkel de bloemkool met citroensap; roer alles goed door elkaar en dien het direct op.

Serveersuggestie
Serveer er volkoren pittabrood en een frisse tomatensalade bij.

Variatie
Gebruik broccoli in plaats van bloemkool en sesamolie in plaats van plantaardige olie.

Tip van de kok
Als de zaadjes van de chili niet verwijderd worden, is deze schotel erg heet. Verwijder ze voor een mildere versie.

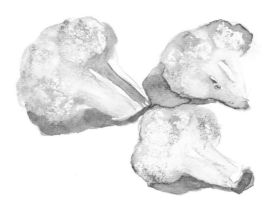

Roergebakken salade van Chinese kool en kip

Dit is een heerlijke warme salade. Hij is ook geschikt als maaltijdsalade.

Voorbereidingstijd: 15 min. • Bereidingstijd: 15 min. • Voor 4 personen

Ingrediënten

4 el olijfolie	1 groene paprika, in reepjes van 5 cm
3 teentjes knoflook, uitgeperst	2 stengels selderij, in reepjes van 5 cm
450 g kipfilet in reepjes van 1 cm	1 el peterselie, fijngehakt
225 g Chinese koolbladeren, in reepjes	2-3 el droge vermout
1/2 komkommer, in reepjes van 5 cm	zout en versgemalen peper

Bereidingswijze

1
Verhit 3 el olie in een wok en roerbak knoflook en kip 10 min. op een matig vuur, totdat alles gaar en lichtbruin is. Haal de kipfilets uit de wok en houd ze warm.

2
Doe de Chinese kool, komkommer, paprika en selderij met de resterende olie in de wok en roerbak alles 2-3 min.

3
Schenk het mengsel in een verwarmde schaal of op aparte borden en schep de kip er bovenop.

4
Doe de peterselie en vermout in de wok en schraap het aanbaksel van de bodem los. Breng de saus op smaak met zout en peper, giet hem over de kip en groenten en dien de kip direct op.

Serveersuggestie
Serveer er knapperig vers brood bij.

Variatie
Gebruik courgettes in plaats van komkommer en kalkoen of varkensvlees in plaats van kip.

Roergebakken salade van gemengde groenten

Een smakelijke combinatie van roergebakken verse groenten.

Voorbereidingstijd: 15 min. • Bereidingstijd: 10 min. • Voor 4 personen

Ingrediënten

1 ui	*225 g peultjes, afgehaald*
2 grote preien	*115 g taugé of ontkiemde bonen*
4 el olijfolie	*zout en versgemalen zwarte peper*
2 teentjes knoflook, uitgeperst	*1 el verse koriander, fijngehakt*

Bereidingswijze

1

Pel de ui en snijd hem in dunne ringen. Zet ze apart.

2

Maak de preien schoon en snijd ze aan één kant in de lengte doormidden. Open de preien en was ze onder stromend water. Snijd iedere prei in drie stukken en snijd ieder stuk in zeer dunne reepjes. Zet ze apart.

3

Verhit de olie in een wok en roerbak de ui en knoflook 2 min. totdat de ui glazig is, maar niet verkleurd.

4

Voeg de peultjes en prei toe en roerbak ze 4 min.

5

Voeg de andere ingrediënten toe en roerbak ze 2 min. Dien de groenten warm op.

Serveersuggestie

Serveer er gekookte rijst bij, royaal besprenkeld met sojasaus.

Variatie

Gebruik een rode ui in plaats van een gewone.

Tip van de kok

Ontkiem zelf bonen of linzen in een glazen pot. Spoel ze iedere dag en vul ze met vers water bij. Dek het deksel met kaasdoek af en zet de pot op een zonnige vensterbank. Na 3-4 dagen zijn de bonen of linzen ontkiemd.

Mie met varkens- en rundvlees

Deze kleurrijke mieschotel bestaat uit een mengsel van vlees en verse groenten.

Voorbereidingstijd: 20 min. + 10 min. marineren • Bereidingstijd: 8-10 min. • Voor 2 personen

Ingrediënten

150 g eiermie	5 dl plantaardige olie
3 el arachideolie	6 el sojaolie
50 g runderbiefstuk	2 el oestersaus
50 g hamlappen	2 el sojasaus
1½ el aardappelmeel	2 tl suiker
2 el eiwitten, geklopt	½ tl zout
20 g gedroogde Szechuanpepers, geweekt en uitgelekt	¼ tl witte peper
50 g Chinese kool	1 tl sesamolie
20 g wortels	2 el lente-uitjes, fijngehakt

Bereidingswijze

1
Kook de mie in een pan kokend water gaar. Giet de mie af en roer er 1 el arachideolie door. Zet de mie apart en houd hem warm. Spoel het vlees onder de koude kraan af en snijd het in dunne reepjes.

2
Bereid de marinade door het aardappelmeel, eiwit en de resterende arachideolie in een schaal te mengen. Voeg het vlees toe. Meng alles goed en laat het 10 min. marineren.

3
Snijd de Szechuanpepers, Chinese kool en wortels in repen en zet ze apart.

4
Verhit de plantaardige olie in een wok, voeg het gemarineerde vlees toe en roerbak alles 1-2 min. Schep de reepjes met een schuimspaan uit de wok, leg ze op een bord en zet ze apart.

5
Roerbak de groenten 1-2 min. in de olie. Schep ze uit de wok, laat ze uitlekken en zet ze apart. Giet de olie af.

6
Verhit de sojaolie in een wok en voeg de mie, groenten en het vlees toe. Schep de oester- en sojasaus, suiker, zout en witte peper erdoor en roerbak alles 2 min. Voeg sesamolie naar smaak toe en garneer het gerecht met lente-uitjes; dien het warm op.

Serveersuggestie
Serveer er een gemengde salade van bladgroenten bij.

Variatie
Gebruik lams- in plaats van rundvlees. Neem voor de verandering spinazie in plaats van Chinese kool en pastinaak in plaats van wortels.

Chow mein van varkensvlees

Deze zeer populaire Chinese schotel is een overheerlijke door-de-weekse lunch of avondmaaltijd.

Voorbereidingstijd: 15 min. + 15 min. marineren • Bereidingstijd: 20 min. • Voor 4 personen

Ingrediënten

280 g droge eiermie	*1 prei, fijngesneden*
1 el rijstwijn of droge sherry	*1 rode paprika, zonder zaadjes, in dunne reepjes*
1 el lichte sojasaus	*1 klein blikje bamboescheuten, uitgelekt en in schijfjes*
1 tl suiker	
450 g varkenshaas, dungesneden	*1,5 dl kippenbouillon*
3 el plantaardige olie	*25 g vers gedopte doperwten*
1 tl gemberwortel, geraspt	*1 tl maïzena*
1 stengel selderij, diagonaal gesneden	*zout en versgemalen zwarte peper*

Bereidingswijze

1
Week de mie 8 min. in warm water of volg de richtlijnen op de verpakking. Spoel de mie met koud water af en laat hem goed uitlekken.

2
Meng in een grote schaal de wijn, sojasaus en suiker. Meng het vlees erdoor en laat het minstens 15 min. marineren.

3
Verhit de olie in een wok en roerbak de gember, selderij en prei 2 min.

4
Voeg de rode paprika en bamboe toe en roerbak ze 2 min.

5
Schep de groenten met een schuimspaan uit de wok en zet ze apart. Draai het vuur hoger en voeg het vlees toe, bewaar de marinade. Roerbak het vlees 4 min. op hoog vuur totdat het door en door gaar is.

6
Doe de groenten erbij en roer geleidelijk de kippenbouillon erdoor. Voeg de doperwten toe en bak ze 2 min.

7
Meng de maïzena met 1 el water tot een glad papje. Voeg de marinade toe en blijf roeren.

8
Schenk de marinade in de wok. Roerbak de saus totdat hij ingedikt en glad is. Voeg de mie toe en roer alle ingrediënten door elkaar totdat ze goed warm zijn.

9
Breng het gerecht op smaak met zout en peper en laat het al roerende 3 min. sudderen; serveer onmiddellijk.

Serveersuggestie
Serveer er gekookte rijst en kroepoek bij.

Variatie
Gebruik rundvlees of kip in plaats van varkensvlees en sesamolie in plaats van plantaardige olie.

Nasi met garnalenpuree

Dit is een zeer aromatische rijstschotel die het beste met gestoomde verse groenten geserveerd kan worden.

Voorbereidingstijd: 10 min. • Bereidingstijd: 15 min. • Voor 4 personen

Ingrediënten

2 el plantaardige olie	150 g gedroogde garnalen
4 teentjes knoflook, geperst	2 eieren, geklopt
2 rode chilipeper, zonder zaadjes en fijngehakt	4 lente-uitjes, in ringetjes
700 g rijst, gekookt	3 el vissaus
2 el garnalenpuree (trassi)	verse korianderblaadjes, ter garnering

Bereidingswijze

1
Verhit de olie in een wok en roerbak hierin de gedroogde garnalen 30 sec.
Haal ze uit de wok en laat ze op keukenpapier uitlekken.

2
Voeg knoflook en chilipepers aan de wok toe en roerbak ze zacht.

3
Voeg de rijst en garnalenpuree toe en roerbak alles 5 min. totdat alles goed warm is.

4
Voeg de geklopte eieren en lente-uitjes toe en bak het geheel op laag vuur al roerende tot de eieren gestold zijn.
Roer de vissaus erbij.

5
Serveer de rijstschotel bestrooid met de gebakken, gedroogde garnalen en garneer hem met
verse korianderblaadjes. Dien de schotel direct op.

Serveersuggestie
Serveer er groenten bij zoals gestoomde paksoi of sperziebonen.

Variatie
Gebruik 2 sjalotjes of 1 kleine prei in plaats van lente-uitjes.

Nasi met krab

Gebruik voor deze schotel gekoelde, gekookte rijst, zodat hij gemakkelijk uit elkaar valt.

Voorbereidingstijd: 10 min. • Bereidingstijd: 10 min. • Voor 4 personen

Ingrediënten

2 el plantaardige olie	2 kleine rode chilipepers, in ringetjes
2 eieren, geklopt	175 g krab uit blik, uitgelekt en in stukjes verdeeld
2 sjalotjes, fijngehakt	
2 teentjes knoflook, geperst	2 el vissaus
700 g rijst, gekookt	citroenpartjes, ter garnering

Bereidingswijze

1
Verhit 1 el olie in een wok en voeg ongeveer de helft van de eieren toe. Draai de wok zachtjes rond voor een dunne omelet. Bak de omelet tot het ei stolt. Haal hem uit de wok, leg hem op een bord en zet hem apart. Herhaal dit met de rest van het ei.

2
Rol de omeletten op, snijd ze in dunne reepjes, leg de reepjes op een bord en zet ze apart.

3
Verhit de resterende olie in de wok en roerbak de sjalotjes en knoflook glazig. Voeg de rijst toe en roerbak hem 2 min.

4
Voeg de chilipepers, krab en vissaus toe en roerbak 2-3 min. of tot de rijst en krab goed warm zijn.

5
Strooi de omeletreepjes erover en garneer de rijstschotel met citroenpartjes.

Serveersuggestie
Serveer de rijstschotel als bijgerecht bij oosterse vis-, zeebanket- of kipgerechten.

Variatie
Gebruik tonijn of zalm uit blik in plaats van krab.

Rijst met garnalen en ei

Serveer de rijst als lichte lunch of als bijgerecht bij een uitgebreide Chinese maaltijd.

Voorbereidingstijd: 20 min. • Bereidingstijd: 15 min. • Voor 6 personen

Ingrediënten

450 g langkorrelige rijst	*1 grote ui, fijngehakt*
2 eieren	*2 teentjes knoflook, fijngehakt*
½ tl zout	*115 g verse gepelde garnalen*
4 el arachideolie	*2 el donkere sojasaus*
2 lente-uitjes, fijngehakt	

Bereidingswijze

1
Was de rijst grondig en doe hem in een pan. Voeg water tot 2,5 cm boven de rijst toe.

2
Breng de rijst aan de kook, roer een keer en temper het vuur. Dek de rijst af en laat hem 5-7 min. sudderen, tot het vocht verdampt is.

3
Spoel de rijst met koud water af, rul de korrels met een vork los en zet hem apart.

4
Klop in een schaal de eieren met een snufje zout. Verhit 1 el olie in de wok en roerbak de lente-uitjes glazig, zonder ze te kleuren. Giet het ei erbij en roer zachtjes tot het mengsel gestold is. Schep het eimengsel uit de wok, doe het in een schaal en zet het apart.

5
Verhit 1 el olie in de wok en roerbak knoflook, garnalen en doperwten 2 min. Schep ze uit de wok op een bord en zet dat apart.

6
Verhit de resterende olie in de wok en roer de rijst en het overgebleven zout erbij. Roerbak alles tot de rijst door en door warm is, voeg dan het ei- en garnalenmengsel en de sojasaus toe. Roer alles goed door elkaar en dien direct op.

Serveersuggestie
Serveer er kroepoek en een salade van donkere bladgroenten bij.

Variatie
Gebruik fijngehakte rode paprika of maïs in plaats van doperwten. Vervang de garnalen door gamba's.

Tip van de kok
Rijst kan 6 weken van tevoren worden gekookt en ingevroren. Bevroren rijst moet voor gebruik ontdooid en afgespoeld worden.

Register